Premium

SLAM DUNK

슬램덩크 완전판 프리미엄

TAKEHIKO INOUE

03

● **CONTENTS** ●

SLAM
DUNK

03

● CONTENTS ●

♯23 보통이 아닌 녀석

점프 위치가 골대에 조금만 더 가까웠다면 굉장한 덩크를 성공했을 거야!!

엉?

숏은 실패했지만 믿을 수 없는 점프력…!!

틀림없어! 이 애가 틀림없어!!

네가
서태웅이지?!

박경태야,
잘 부탁한다!!

난 올해
입학한
새내기
1학년.

우리 학교에서도
네 소문이
자자하거든!!

중학교 시절에는
활약이 대단했다며?
한 시합에 덩크
4개를 성공시켰다느니,
50점을 올렸다느니.

아, 우리 학교는
능남고교야.
알고 있지?
이번에
시합하게 된….

……………

내 체크는 정확하기로 소문이 났거든.

맞지? 후후후… 틀림없을 거야!

……

나한테 걸리면 숨기고 싶은 비밀까지 다 체크가 되지!

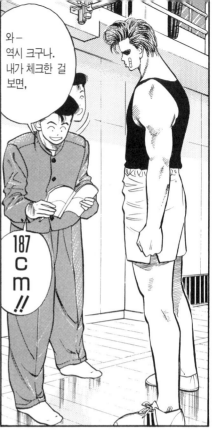

와ㅡ 역시 크구나. 내가 체크한 걸 보면,

187 cm!!

그래서 조사할 게 너무너무 많아. 모두 모르는 녀석들뿐이니까.

난 다른 지방에서 왔어.

응?

사실은 거짓말이지?

인기 있다는 소문,

그렇지?

이런 괴상한 빨간 머리가 정말 인기있을까?

그런데 이상하네! 서태웅은 미남이라 여자애들한테 인기라는데….

내 취향에 따라돌면…

귀엽지
않냐?

이른 아침부터
혼자 레이업 슛
연습했대잖아.

백호 녀석도
지기 싫어하는
기질을 갖고
있거든ㅡ.

어디가 귀여워?
그런
똥강아지가.

그땐 틀림없이
굉장한 팀이
될 거라는
생각이 들어.

녀석이 언젠가
우리 농구부를
이끌어가는
존재가 되는
날엔…

그래, 게다가
빨리 기술을
익히잖아.

유창수
말대로
굉장한
인재야.
녀석은…!

하기야
운동하는 놈한테
지기 싫어하는
기질은
중요하지만….

하하하…
설마…!

폭력사건
같은 걸로.

아냐! 난
녀석이 언젠가는
농구부를 해체시키고야
말 것 같은
예감이 들어.

무슨 짓이야,
서태웅!!

왜 이러는
거야?!

으콰 콸 콸 콸

우아아앗!!

아얏!

아야!
아야!!

이게뚜~!!

누가
서태웅이야,
임마!

이 바보
녀석아!!

아야!!

뭐!
서태웅이
아니라고…?

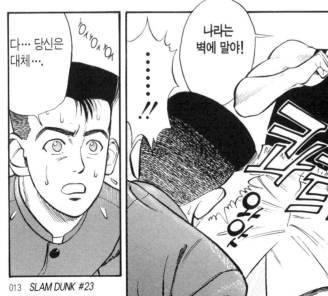

그 이름이라면 매일 듣고 있지…!!

타도 채치수! 타도 채치수!! 하고 말야.

채치수 주장!!

후후… 채치수 주장을 알고 있냐?

우리팀 에이스 센터인 선배의 입버릇이지!!

널 쓰러 뜨리려구!!

그래, 녀석은 타오르고 있을걸!!

흥!

변덕규 말이냐?

그 변선배를
꼼짝 못하게
했다는 채치수
주장….

고릴라도
제법
인데….

그 사람은
빨간 동그라미야.
요주의 인물이지….

당신이
채치수…?!

줄
꺽

서… 설마!

· · · · · ·

· · · · · ·
· · · · · ·
!!

아야야! 난 얼굴을 모른단 말야!!

요놈의 원숭이가!! 내 얼굴이 고릴라로 보이냐!!

그만해!! 으아~!

멍청아!!

내가 말하기 좀 쑥스럽지만 말야….

후후….

그게 정말이야?

차기 주장?!

일명 차기 주장 당선 확정자다!

솔직히 말하마. 나야말로 그 채치수 주장의 후계자로 지목받고 있는,

차기 주장이라니! 체크 부족이었어….

저 체격에 그 점프력…! 예사놈은 아니라고 생각했지만,

뭐?

그랬었구나.
차기 주장이라….

그러고보니
보통 얼굴이
아냐!!

시원시원한
사람이군….

사람이 됐어….

아냐 아냐.
신경쓸 것
없어.

저어…
미안합니다.
제가 여러가지로
실례된 말씀을….

아무것도
모르는
1학년이라서….

예엣?
채… 채치수
주장한테
이겼다고요?!

참고로
말해주지만,
난 채치수 주장한테
이긴 적도 있다.

그 변선배를 누른 채치수 주장에게…

내가 최고의 센터라고 생각했던 변선배….

이겼단 말인가, 이 사람이!!

괜찮아. 신경쓸 것 없다니까.

모… 몰라뵈서 죄송합니다.

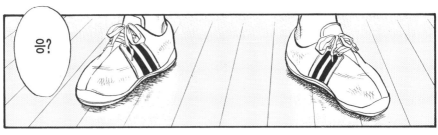

응?

?

그게 뭔데?

어째서 밧슈를 안 신고 있는 거지요?

밧슈?

왜 체육관에서 운동화를 신고….

더구나 맨발이.

뭐라뇨? 그러니까 밧슈 말이에요. 바스켓 슈－즈, 농구화요.

역시!!
난 바보야….

아닙니다.
제가 공연한
말을
했습니다.

헤에?
그거 얼마나
하는데?

실수…!!

앗!

내가 명청했어….
공연한 걸
물어봤어….
운동화면 어때?

이 사람은 집이
가난한 지야.
농구화는 한두푼
하는 게 아니잖아….

저어
….

성함이
어떻게 되시죠?
전 박경태라고
합니다만….

경태?
하하….

이름 갖고
웃지
마세요….

확실히
체크해둬!!

나는
바스켓맨 강백호!
라고 불리고
있다!!

멋져! 이 사람!!
스스로 자신을
체크해두라고
한 사람은
내 체크 인생 중
처음이야!!

바스켓맨
강백호라…!!

넷
!!

아
…

백호 형!!

이번 시합에서 당신의 플레이를 체크하겠어요!!

잘 부탁합니다!!

하하하… 좋아, 좋아!

쓸 수 없어!!

안돼! 녀석은 틀렸어!

절대 안돼!

문제는 백호를 어떻게 쓰느냐야.

넌 시합에 안 나오냐?

난 아직 멀었어요.

딱딱한 손···. 이것이 일류 선수의 손이구나···.

나도 언젠가···.

그럼요!

하하하하

에이스 라고?

하지만 백호형도 우리팀의 에이스한테는 고생 좀 할 겁니다.

내가 존경하는 선배거든요.

음?

그 녀석을 저지하지 않고선 우리의 승리는 불가능해.

COFFEE & TALK PEACE

그래···.

넌 변덕규를 마크해야 되잖아….

사실 능남이 강해진 것도 녀석이 들어오고 나서부터니까….

어떻게 하면 막을 수 있을까…?

아직 좀 짐이 무거울지도 모르지만…

가능성이 있는 건 태웅이밖에 없어.

녀석에겐 태웅이를 붙인다.

백호는 그 누구보다도 급속히 성장하고 있어….

그렇게만 된다면 너, 태웅이, 백호로 최강의 라인이 될텐데 말야….

백호가 태웅이 수준까지 급성장해주면 얼마나 좋을까? 헤헤~.

쓸데없는 소리.

♯24 내일을 향하여!!

자, 덤벼봐!!

넷!!

어쩐지 모두 기합이 단단히 들어있는데?

그럴 수밖에! 상대가 도내 4강에 오른 능남고인걸.

야아~ 대단한데? 아직도 하고 있잖아.

내일이 연습 시합이래.

역시 채치수답군.

전국제패를 목표로 하는 부는 역시 다른 데가 있단 말야.

그 능남한테 이기지 못하면 우리가 전국대회에 나갈 수 있는 길은 전혀 없어.

게다가 올해는 우승후보라는 말까지 있어.

오오!!

뿌

웅

나이스 숫!!

둘만의 비밀 특훈 덕분이지…

어쨌든 소연이가 직접 가르쳐준 거니까.

소연아…♡

하하… 난 천재 라니까요.

하아하

하

대단하다, 백호야! 이제 다섯개 중 네개는 들어가게 됐어!

굉장한 발전이야!!

그냥 두고 올 뿐이야! 두고 올 뿐!

그렇겠군.

호호홋

안선생님!!
이런 컨디션이면
내일 좋은 시합
할 수 있을 것 같죠?

넷!!

늦지
않도록!

좋아!
오늘은
이만이다.
내일은 8시
집합이니까

하나!

둘!

하나!

가
자
~!!

야아~!!

시끄러워, 임마!
넌 너무
건방져!!

천잰지
뭔지 몰라도
난 그런 거
안 믿어.

하하하…
물론이죠!
이 터프가이 천재
강백호는….

앗!

천재라면
그 정도는
쉬울텐데?

응?

후후…
왜 그래,
천재야?

아직도
100번
남았다!

헉~
헉~!!

어떻게
된 대가리
야?!

얼간이
같은 녀석.

역시…!
화내고
있어!

…혹시
내 천재성을
시기해서 날
괴롭힐려구…?

미쳤어! 내가 고릴라하고 단둘이서 연습같은 거 할 줄 알구!

소연이하고 하는 것에 비하면 그야말로 천국과 지옥!

그래? 아직 모르는 모양이구나.

리바운드를 제압하는 자가 시합을 제압한다고…?

리바운드를 제압하는 자가 시합을 제압한다.

왼쪽을 제압하는 자가 세계를 제압한다는 것과 비슷한데.

그래. 농구에는 이런 말이 있지.

천재라면 어떻게 될지도 모르겠지….

뭐, 하룻밤 연습해서 익힐 수 있는 건 아니겠지만,

후후후 후후후….

후후후…

체력에 자신이 없다면 돌아가도 좋다.

하하하… 터프가이 & 천재라고 했잖아요! 아침까지라도 문제없어요.

결국 나만 믿는다, 이거 아냐? 솔직히 곽하면 될 걸 갖고.

뭐야? 고릴라 녀석!

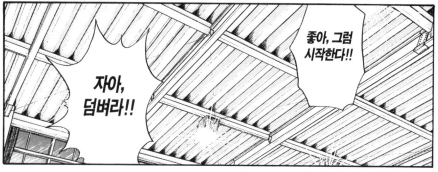
자아, 덤벼라!!

좋아, 그럼 시작한다!!

그리고…

바보야!
그까짓 놈 문제없어.
식은 죽 먹기지!

으하하하핫!!

그렇지?!
끝내주지?!

하하핫!!

녀석을
실컷 차준 다음에
내가 말해줬어.

뭐라구?

싸움은 덩치로
하는 게 아냐!

끝내
주는데!!

푸핫ㅡ!!

1분 됐습니다ㅡ!!

야간 떠러 애음.

야! 지금 이러지 않아도 되잖아?

어째서 전철안에서 까지…!

그런도 교복까지 닙고…!

다리와 허리 단련이야.

백호는 생전 처음하는 시합이겠구나.

심정이 어떠니?

이 정도 투지없인 안돼!!

상대는 능남이야.

하지만 나의쭉 상대으로 보서 많아…

맛 좀
볼래!!

이게!!

아니,
뭐라구?
너 정말!!

긴장 풀려고
큰소리 친 거
아니냐?

열흘에 15여
어어!!

호호…
처음엔 다
그런 거야.

난
처처 천재
바스켓맨
이니까요!

하
하…

하하하하…
여유만만
이지요,
뭐!

긴장해서
굳어있는
주제에.

리바운드를
제압하는 자가
시합을
제압한다!

흥!
멍청한 녀석.
고작 중학 레벨인
주제에.

글쎄….

백호
녀석….

오늘
기대할만
하냐?

그러고보니,
치수야….

그래.

간밤엔 늦게까지
백호에게
리바운드
연습시켰지?

어머? 너 능남의 에이스인 윤대협을 알고 있니?

변덕규까지?

후후후… 이 강백호의 정보망을 무시하면 안돼요, 한나 누나.

변덕규도 덤으로 해치운다!

능남의 에이스는 내가 맡는다!!

어쨌든!!

꽤 열심이잖아. 안 그래, 치수야?

어떻게 알았지?

호오? 거기까지 상대팀에 대한 정보를 조사해뒀다니….

능남고교 앞! 능남고교 앞!

휴우~!!

아아…!

왠지 나같은
후보까지
긴장되는걸.

고작해야 연습시합인데도.

게다가 뭐냐? 신문기자까지 왔잖아.

변선배는 오늘따라 말이 더 없는걸.

채치수와의 운명의 대결때문에 긴장한 탓인지…

그리고 저들의 요주의 취재 대상도 난 알아.

하긴 저 사람들이 체크하려는 이유를 알만하다구? 우리 선배들이 올해에는 돋보일테니까.

그렇지! 목표는 윤대협!!

맞아. 우리 팀의 에이스 대협형이겠지.

이렇게 오시게 해서 정말 죄송합니다.

저희 팀이 가야하는건데!!

능남고 감독 유명호.

오! 치수군. 나도 잘 부탁하네.

북산고 주장 채치수입니다. 잘 부탁드립니다.

상대팀 감독이 굽실대잖아?

어랍쇼? 우리 감독님이 그렇게 대단한 분이셨나?

역시 굉장한 사람이었구나 …!!

……

우리 변덕규도 자넬 이기기 위해서 여지껏 훈련해왔지.

멋진 시합 부탁하네.

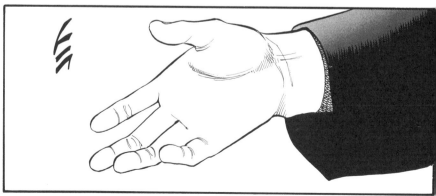

건방진
소리…!

부욱

내가
이긴다.

그러니까 내가 뭐랬어! 어서 내려!!

용팔이 너만 내리면 만사 OK 라니까!!

뭐야?!

아직 멀었냐, 능남은?!

이 오토바이, 전혀 안 나가잖아?

이거 안되겠어. 속력이 5킬로밖에 안 나와.

으악! 으악! 으악!

모두 내려!!

앗-! 빵꾸날 것 같아!

※ 오토바이에 4명이 타서는 절대 안됩니다.(상식적으로나 법률적으로나…)

시간이 딱 맞았는걸.

다행이다. 이제 시작하려나 봐.

정시 도착!

제길! 너희들 때문에 나까지 전철신세 였잖아.

시끄럿- 면허도 없는 게!!

맞아, 맞아.

비밀무기 강백호

#26 비밀무기 강백호!

더군다나
10번을!!

오옷!!
백호야!
유니폼
받았구나!!

태웅이보다도
앞번호라니!!
어떻게 된 거야!!

실력이야,
실력!!

하하핫!!

태용이보다
윗이야~!

실력적으로
말야.

숫자는 하나
차이지만
실제로는 20배
정도의 수준
차이가
있는 거야.

뭐, 격이
다르다
이 말이지.

후후~.

어쨌든
난 말야.
후후후….

호홋.

뭘 주절대고
있는 거야?

―바로 15분전에 벌어진 일 ―

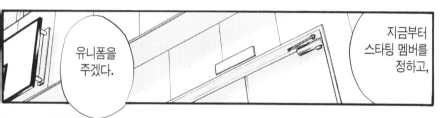

지금부터
스타팅 멤버를
정하고,

유니폼을
주겠다.

드디어
강백호의
대망의
데뷔란
말인가!

유니폼…!!

하아…!
스타팅
멤버…!

난
몇 번이지…?!

음….

그럼
안선생님께서
스타팅 멤버
명단을….

넷!!

그럼 난
3번일까?

센터가
뭐지…?

고릴라는
4번
이구나….

4번.

그래!

가드.

포인트 가드.
이달재,
6번.

!!

세컨드 가드.
신오일 8번.

6번…

6번…

내가 스타팅
멤버라니….

부탁한다!
달재야,
오일아.

호오.

넷
!!

너희들,
정신 바짝 차려라!
시합중엔 너희들
가드가 리더가
되어야 해.

이달재!
신오일!

힘
내
라.

....

뭐,
내 발목만
잡지
말도록.

제법 하는군,
선배들도.

1학년

2학년

백호야!

다음,
포워드.

자아, 이번엔
나겠지?

포워드라….

가슴이
뛰는데.

자….

자….

자….

잠깐만요,
감독님!!

저
바보가
…!!

멍청아!
스타팅 멤버가
아니라도
시합에는
얼마든지
나갈 수 있어!

날
속였지!!

그래봤자
후보
아냐!!

너의 그 단순한
생각엔
손들었다.

내가
참아야지!!

내참.
그만
두자.

상대
못하겠어.

음?

자
...

그래.

네,
15번까지
전부요.

이한나,
유니폼 다
나누어 줬나?

잠깐...!
난 아직
안
받았는데....

자아,
가자!!

내 거,
내 거!

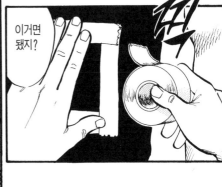

이거면
됐지?

난, 스타팅 멤버라구~!

번호는 3번이구!!

3번같은 건 없어, 이 멍청아!

4번부터야~!!

으악 으악 으악!

ㅠㅠ

백 호구군—!

호호홋!

응?

태웅아, 네가 말려! 너라면 말릴 수 있어.

내가 왜?

으이구~! 시합도 하기 전에 이게 무슨 꼴이야.

엉망진창이야.

으앙앙아

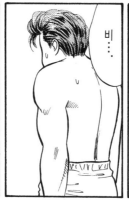

―이런 이유로 해서…

뭐…!

괴상한 머리 스타일이군.

뭐야, 이 녀석은?

…너도 내가 보내줄테다.

백… 백호형! 시합전이니까.

야, 경태야! 뭐야, 이건?!

두목 원숭이…?

야, 너 두목 원숭이!

고릴라한테도 진 주제에.

조금 크다고 너무 재지 마.

그… 그게요, 아직 안 왔어요. 시간 관념이 전혀 없어서.

아직도 안 왔다구?

경태야! 윤대협이 누구야? 어딨어?

대협인 아직도 안 왔나?!

비밀이니까 말할 수 없어.

TIP
OFF!!

#27 투지에 불타는 주장

오옷!!

시작이다!!

올해 변덕규는
작년과는
달라진 거 같아….

하지만 점프볼은
호각세였어.
작년에는 치수
선배가 언제나
이겼는데….

북산고
볼이다!

자아!
오너라,
북산고!

오우!
투지에
불타고 있군,
두목 원숭이!!

하지만,
넌 내가
쓰러뜨린다!
하하하!!

!!

움찔

빠…
빠르다!!

제아무리
서태웅이라도
역시 1학년….

올해도
채치수 혼자만의
팀이라고
봐야겠군.

역시 북산고는
가드진이
약해…!

이봐요,
감독님!
난 언제
나가죠?

지금 대핀치에
몰렸잖아요.

그리고
올해야말로
우리가
전국대회에
나갑니다!

후후….
또 저희가
이겼습니다요,
안선생님!

응?!

와아

우와

나이스 슛!!

우ー와!!

굉장하다, 얘.

아아~ 당했어.

이런! 체크할 게 너무 많잖아, 이 시합!

와아! 채치수와 덕규형!

주장끼리의 센터 대결!!

엇!!

준호야!!

좋 - 아! 던져, 안경선배!

노마크!!

저 두목
원숭이가!!

#28 능남의 실력

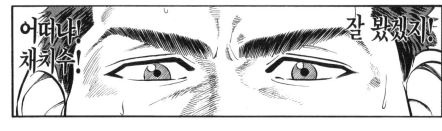

백호야…

디펜스—!!

디펜스—!!

윤대협—!!

능남 이겨라!!

변덕규—!!

치수와 태웅이의 슛을 막다니…

게다가 한 사람 한 사람의 움직임의 스피드가 달라…. 이것이 능남인가….

디펜스!!

디펜스!!

공격해, 공격!!

달재야, 빨리빨리 패스해!!

와아아

우와~!!!

멋지다ー!!

나도 언젠간 저렇게 될 거야, 꼭 될 거야!!

와ー 어떻게 저런 패스를 할 수 있는 거지…?!

윤대협!!

와

윤대협!!
나이스 어시스트

나이스 패스!!

와 와

나이스 숏!

RYONAN

채치수 주장을 중심으로 한 북산고의 첫 연습시합이 시작됐다.

시합 상대는 작년 도내 4강팀인 능남고교!

올해는 우승후보로 주목받고 있는 팀이다.

능남에는 투지에 불타는 주장. 2m의 센터 4번 변덕규가 귀신처럼 블로킹을 연발!

게다가 유감독이 확실히 믿고 있는 초고교급 플레이어 7번 윤대협도 있다.

한편, 북산은 자칭 비밀무기 10번 강백호가 능남의 유감독에게 분노의 똥침을 한 방 먹인다!

이것이
테크니컬
파울이 되어,
프리스로 판정으로
전반 5분에
득점은 15─0!

30점차로
이기겠다고
큰소리치는
유감독!

이상하리만큼
끓고 있는
거인.
변덕규!!

그리고─

북산	능남
0 4	1 5

2학년의 능남의
에이스 윤대협이
지금 실력을
발휘하려 하고
있다.

♯29 초고교급

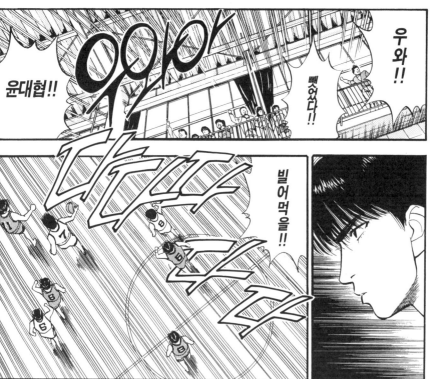

서태웅!!

아아-!!

제길...!

파이팅-!!

잘했어!!

북산 능남

0 14 17

윤대협!!

윤대협!!

우승후보라고 주목하니까 학교에서도 기대하고 있어….

괴… 굉장해요, 감독님!

연습시합인데도, 굉장한 응원인데요?

윤대협!!

윤대협!!

북산 따위가 아닌 전국 강호를 상대로 말이다…!!

여름에는 전국대회에서 이 응원을 들을 수 있을 것이다….

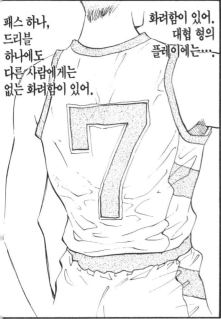

패스 하나, 드리블 하나에도 다른 사람에게는 없는 화려함이 있어.

화려함이 있어. 대협 형의 플레이에는….

7

슛을 넣은 것도 아닌데…. 어시스트 2개를 했을 뿐인데….

관중들도 대협형의 멋진 플레이는 알아보는 거야….

응….

이런 분위기에 휩쓸리면 안되는데….

엄청난 응원이야…. 아무래도 북산이 힘들 거 같아….

나의 목표다—!!

윤대협!!

윤대협!!

윤대협!!

윤대협!!

그만둬! 테크니컬 파울을 당할 뿐이야!

아니… 좀 조용히 시키고 올게요…. 주먹으로…

앗, 강백호! 어디 가는 거야?

제발 앉아. 정말 못 말려.

너 놀리려 왔지!

야, 임마! 너희들도 북산 응원 좀 해라!!

뭐하러 온 거야 도대체!

자신이
슛할 거라
생각했는데….

무서울 정돈데?
능남의 7번….

우리라면 절대
못 따라갔을 거야.
태웅이니까
그만큼 할 수
있는 거지.

격이 달라.
윤대협은….

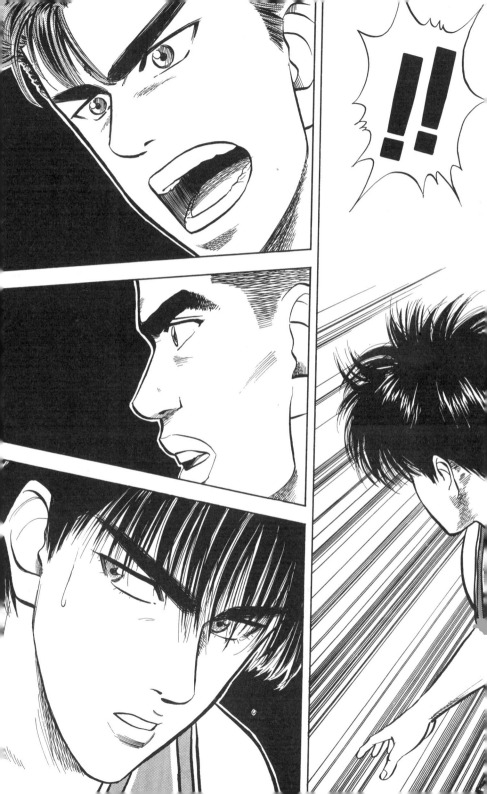

이 시합은 이겼다!

좋아…!

하지만….

윤대협.
초고교
플레이

두 명의 남자의
투지에 불을
붙여버린 것을
유감독은
아직 몰랐다.

#30 COUNTER ATTACK

역시
윤대협이야!!

북산　능남
0 13 | 1 9

와
아

흥…．

와
아

태웅아～．

아아～．

아아아아
흐흑
흐흑
흐흑

서
태
웅

안되겠어!

못 당해.

훌쩍
훌쩍
훌쩍

백호 따윈
상대도
안되겠어….

오빠, 힘내.

흐름을 바꿔야 해. 우선 한 골을 넣어서 능남의 기세를 꺾고 보는 거야.

아직 몰라. 이제 전반전인걸!

이걸 수 있어!!

19대 ㅇㅇ이니… 이제 역전은 무리겠지?

태웅아…. 힘내…

으……

앗!!

아아!!

날려버릴
테다!!

짜샤ー
확실히
못할
거야?!

달재도
선배야!!

으···!!

※앨
리
웁
…?!

앗!!

응?

뭐
야?!

이것들이
정말!!

아이~!
이젠
끝장이야
-!!

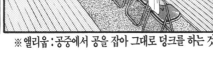

※앨리웁 : 공중에서 공을 잡아 그대로 덩크를 하는 것

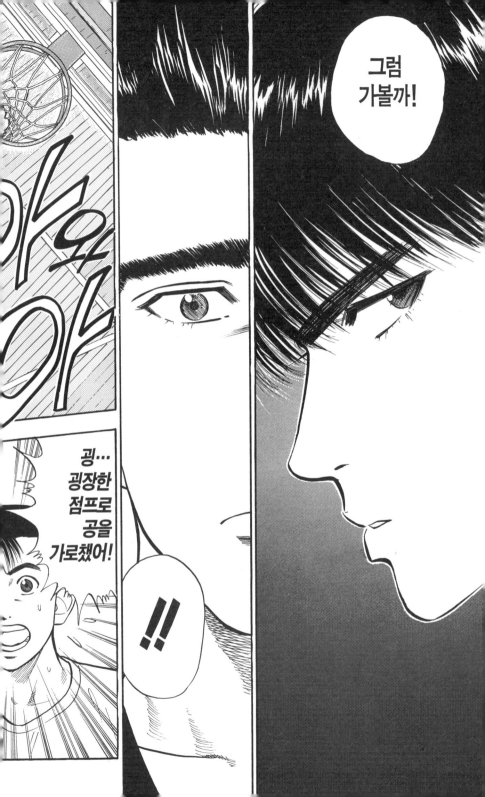

태웅이 녀석… 으이…

요전에
북산고에서
백호형의 점프를
봤을 때도
놀랐지만,

이 서태웅도
대단한
점프력인걸?

저게
서태…!!

역시
요체크
인물!!

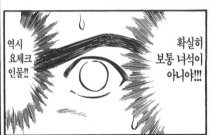

확실히
보통 녀석이
아니야!!!

북산이 지는
것도 싫지만
태웅이놈이
빼내는 건
더 싫다.

영수
선배
마저!!

나이스
드리블!!

잘한다
!!

저 덩치에
어떻게
저런
드리블이…!!

하지만 정말 대단해!!
난 항상 정태형과
영수형의 가드
콤비에게 공을
빼앗기는데…
저렇게 가볍게
제치다니!!

적을 칭찬하는
놈이 어딨어!

앗…
죄송합니다!

욱···!!

움직임이
좋아졌어!
이 녀석···!!

올해도 역시
채치수 한 사람의
팀이라고 믿었다간
큰코 다치겠군···.

그러나 그전에
흐름을 바꿔
채치수의 덩크슛을
유도해낸 것은
1학년 서태웅···

역시 북산은
채치수···!!

흐음···!!
채치수의 덩크 덕분에
가드진의 움직임이
부드러워졌어.

·······

안 선생님…

굉장한 루키를 손에 넣으셨군요.

이렇안 너넉도 아지단…

이봐요, 이제 내가 늘슬 나갈 차례에요~

으!!

으!!

아앗! 수비가 강해졌다!!

임마, 태환아! 무리한 숫 하지마!!

와아아아

우와~
저 단단한 수비!
주장이 꼼짝을
못하네!!

우리 덕규
선배가…!

윽…!!

피하지
마,
덕규야!

승부해,
승부!!

3초,
3초!!

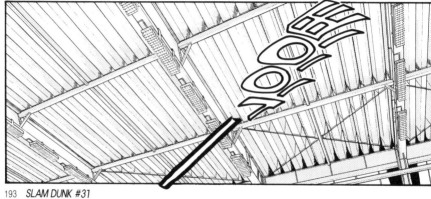

삐이익

우와아

좋—았어!!

3초 오버 타임!!

!!

좋았어!!

Dr.T의 도움이 되는 바스켓볼 입문

〈3초 룰〉
공격측이 페인트존 안에서
3초 이상 머물 수 없다.

맞아!!

그러나 난 지금도
저 괴물이
소연이 오빠라는 게
안 믿어져.

대단해!

북산의 괴물이
능남의 괴물을
이기고 있어.

슬슬 흐름이
바뀌어
가고 있어!!

오빠 힘내!!

역시 주장
다워!!

너네 오빠,
굉장하다!

그만두지
못해!

빨리
내보내
줘요!!

감독님!!
아직
멀었어요?
비밀무기를
써먹어야죠!!

좋아!
공격
리바운드도
잡았다!!

치수형,
슛-!!

훗!

오옷!!

전반 종료!!

시작하자마자
19-0이라는
큰 스코어로 리드당해
어떻게 될 것인지
염려스러웠던
북산이였으나

팀의 기둥인
주장 채치수와
수퍼루키 서태웅의
2개의 덩크슛으로
완전히 불이 붙었다.

전반
채치수 17득점!!
서태웅 14득점!!

14점

17점

그 후로부터
강호 능남을 상대로
호각의 싸움을 벌여

넷!!

이길 수 있어!
후반에도
이런 식으로
나가자!!

북산

능남

50—42
8점차까지
따라잡고
전반 20분을
마쳤다!!

4 2 0 5 0

7점

2점

2점

#32 위험 인물

전반전 출전 기회 없었음.

후반!!
북산의
기세는 지칠 줄
모른다!!

능남 북산

5점차이.

5 0 19 4 5

못말려...!

서·태·웅!!

서·태·웅!!

서·태·웅!!

서·태·웅!!

작전 타임
능남고!!

뿌!!

19

오!

오!

오!

오!

북ㅡ산!!

능남!!

북ㅡ산!!

드디어
유명호
감독의
얼굴에서
웃음이
사라졌다.

뭣들
하는 거야,
너희들!!

30점을
벌려놓으라고
했잖아!!

겨우 북산고
따위에게
이게 무슨
꼴이야!!

‥‥‥

똑바로
못하겠어!!

네…
넵!!

야, 경태야!
음료수
하나 줘라.

정말 정신
못 차릴
거야?!

센터 채치수 하나만으로도 8강 정도는 된다고 생각하는데….

하지만- 북산은 그렇게 약하지 않아요.

아….

북궁

듣고 있는 거냐? 대협아!!

이런 바보!!

에이스가 그런 말을 하면 어떡해!!

앗!

북궁성

!!

잘 들어!! 지금부터는 맨투맨으로 간다!!

덕규는 채치수!!

대협이는 서태웅을 철저히 막아!!

!!

채치수와 서태웅만 막으면 나머지는 아무것도 아니다.

아아…
안돼요…!

그만둬요,
그만둬!!

이런
애송이가…

하고 싶어서
근질근질해
죽겠는데
비밀무기라서
참고 있는 줄도
모르고….

비켜,
원숭이!!

할 맘이
없다고?

뭣이
어째?

그만 둬!
이 녀석들!!

좋다!
할 맘이 있는지
없는지 보여주지….

뭣이…?

시끄러워요.
꼰대 감독님.

무서웠어…

도대체 어떻게 된 거야?

겨우 조용해 진 것 같군.

아깝다!

좋은 구경 놓쳤어!!

이야~
난투극 일보직전 이었는데….

아이구 추워!

이 못된 것! 머리 좀 식혀!!

백호야….

완벽한 위험인물이야!

무서워~.

벌써 몇 번이나 핀치에 몰렸는데도 써먹다니….

이런 젠장… 벌써 후반인데…

비밀무기니 해놓고 사실은 그냥 후보였다는….

의혹의 눈길

설마 이 꼰대가 날 속인 건 아니겠지…?

훗훗훗!!

난 비밀무기 틀림없겠죠?

훗훗!

안 내보내 줄 거예요?

훗훗!

저… 감독님! 벌써 후반인데….

자꾸 이러면 너 퇴장시킨다!!

훗훗훗이 아니란 말예요 —!!!

윤대협!!

부르고 있잖아!!
백호형을
도발하고 있어!!

대협형이···
저러는 건
처음 봤다!!

북산의
에이스로
보고 있는
거야!!

역시
백호형을!!

좋다－!!

SHOHOKU

#33 두근두근

후반전인데
지치지도
않나?

원인은
저 빨강머리야.
저 녀석이
억지쓰는 바람에…

왠지
양팀 모두
흥분해 있어….

너무
격렬한걸!

……………

한 골
넣자!!

……………

서태웅을
써먹자.

이런…!!

안되겠어.
서태웅이
묶여 있어….

윤대협 녀석,
수비력도
대단해!!

음….

괜찮을까
…?

그나저나 태웅이도
윤대협을 막는
일은 힘들텐데…

응?

워밍업 해두게.

백호군.

그건 뭔데요? 이럴 때 그런 한심한 소릴 하시다니!

워밍업?

알겠니, 강백호군?!

몸을 움직여서 따뜻하게 해두라는 거야.

워밍업도 모르다니….

으이구― 한심한 건 너야!

네가
나갈 때가
된 거야!!

아니...?

응...?

우왓!!

아...

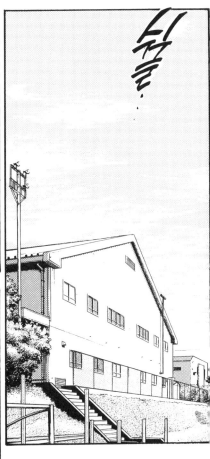

치수형…!!

오빠!!

※ 게임 중 사고가 났을 때, 시계를 멈추는 것.

변덕규가 팔꿈치로 쳤어!!

*레프리 타임!!

치수 선배!!

괜찮습니다,
유감독님.

괜찮나,
치수군?

이봐, 누가
양호실에
데려다줘.

소란
피우지 마,
별 것 아냐.

치수
선배!!

이봐,
채치수.

이
…

치료해야
돼….

곧
돌아올테니까.

신경쓰지 마.

…………
…………
……!!

……

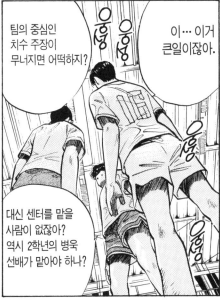

팀의 중심인 치수 주장이 무너지면 어떡하지?

이… 이거 큰일이잖아.

대신 센터를 맡을 사람이 없잖아? 역시 2학년의 병욱 선배가 맡아야 하나?

잠깐 기다려 주세요.

자, 가시죠.

네?

아, 네!!

몸은 좀 풀렸나?

으음….

!!

교체는
바로
너와 한다.

슬램덩크 완전판 프리미엄 3

2007년 9월 23일 1판 1쇄 발행   2023년 2월 14일 2판 3쇄 발행

●

저자 ┈┈┈ TAKEHIKO INOUE

●

발행인 : 황민호
콘텐츠1사업본부장 : 이봉석
책임편집 : 김정택/장숙희
발행처 : 대원씨아이(주)

●

서울특별시 용산구 한강대로 15길 9-12
전화 : 2071-2000 FAX : 797-1023
1992년 5월 11일 등록 제 1992-000026호

●

©1990-2022 by Takehiko Inoue and I.T.Planning, Inc.

ISBN 979-11-6944-796-6 07830
ISBN 979-11-6944-793-5 (세트)